迪士尼 **我会自己读** 第1级

森林
我的家

童趣出版有限公司编　人民邮电出版社出版

北京

缓步出发大步走

　　儿童阅读的作用和意义，家长们已经达成共识，不再需要热烈讨论。不过，家长们还是有一些普遍困惑，例如，孩子在幼儿园要不要识字？通过什么方式识字？孩子在幼儿园不识字能否应对小学之初的压力？如何处理父母读和自主读的关系？阅读兴趣和语言学习如何兼顾？

　　这套书正是为了解答上述疑惑而编写的。编写者希望在儿童阅读的纷繁流派中，坚持一些基本观点，探索中国孩子学习阅读的独特途径。这些观点主要如下：一、早期阅读要把阅读兴趣的培养放到最重要的位置来考虑；二、通过这套书让孩子在幼儿园认识 400 个常用字，为小学阶段的学习减轻压力和奠定基础；三、不鼓励父母用识字卡片的方式教孩子识字，把生字放到故事中更有意义；四、在小学三年级的阅读关键期，实现孩子自主阅读；五、幼儿园阶段既鼓励亲子阅读，又鼓励孩子自主阅读。由此，这套书主要有如下特点：

　　科学性。从选择高频、简单、构词能力强的字先认，到通过各种方式复现，再到故事内容的打磨，最后培养出优秀的阅读者。从分级阅读的角度，综合考虑生字、生词、句子长度、主题深浅等多个因素，编写出难度递增的故事。

　　趣味性。选择了迪士尼的漫画人物和漫画故事作为主要内容，降低阅读难度，增强阅读趣味。由于有识字的安排，创作故事犹如"戴着镣铐跳舞"，但故事仍然精彩十足，劲道十足。

　　功能性。把识字放在重要位置，同时兼顾文学性。和时下流行的图画书不同，本套书把学习功能放到重要位置。希望通过有趣的故事，让孩子认识汉字，早日实现自主阅读。

　　希望通过这套书，帮助孩子在阅读之路上缓缓起步，培养自信，锻炼能力，然后再大步流星，一路前行，成为趣味高雅、兴趣充盈的阅读者！

　　　　　　　　　　　　　　　　　　　　　　　　　　　王林（儿童阅读专家）

森林我的家

跟我来，去看看我的家。

你看我的家大不大？

我的好妈妈。

我的大朋友。

我的小朋友。

我的高朋友。

我的草，我的花。

我的天，我的地。

我爱我的家。

你好，我的朋友！

，你不高兴了？

黑豹

16

跟我一起玩儿吧！

巴鲁

高高兴兴来找我。

我天天跟  巴鲁 一起玩儿。

你看，好玩儿吧？

你看，好玩儿吧？

不，不，我不跟 玩儿。
老虎
要吃我！
老虎

找出我的五个朋友。

老虎想吃毛克利

一只 老虎 朋友少，想吃 小狼 找不到。

 来找 ，

老虎　　　　　毛克利

看到一只大 黑豹 。

两只大鸟来找我，吃我吃不到。

老虎

三只  跟我玩儿,

猴子

四只大鸟对我笑。

五个朋友来我家，

高高兴兴笑哈哈。

六个朋友来我家，

七个  八朵花。

芒果

七只  真不少，

猴子

不爱花儿不爱草。

只爱跟我玩儿一玩儿。

来个好不好？

香蕉

老虎 一下看到我，

来吧，大家快快跑。

三个朋友上来了，

老虎

再也找不到。

看图识字，把每幅图与它相对应的汉字连起来。

三

两

四

顺着毛克利的脚印和巴鲁的脚印，帮下面每个字宝宝找一个朋友。

看　　　　　　　　友

朋　　　　　　　　玩

好　　　　　　　　兴

高　　　　　　　　到

游戏测试页

下面的句子你会读吗？
每读对一句就把它旁边的 ☆ 涂上颜色。

☆ 我的好妈妈。　　☆ 我的草，我的花。

☆ 我的大朋友。　　☆ 我的天，我的地。

超范围字

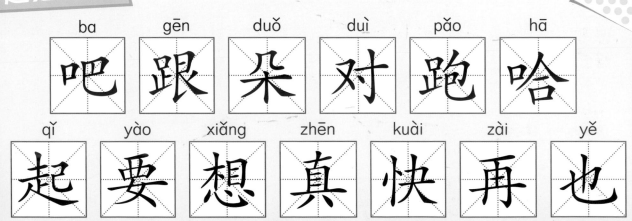

ba	gēn	duǒ	duì	pǎo	hā
吧	跟	朵	对	跑	哈

qǐ	yào	xiǎng	zhēn	kuài	zài	yě
起	要	想	真	快	再	也

一 二 三 四 五 六 七 八

九 十 两 上 下 大 小 多

少 花 草 天 地 春 鸟 朋

友 出 去 到 来 看 吃 笑

找 爱 玩 个 儿 了 只 的

不 高 兴 好 早 我

你 爸 妈 家

毛克利的故事真好看，我还想看！下面的小书你都看过了吗？看过了就在书的旁边打个"√"，没有看过的快去看吧！

专家小贴士

建议孩子同一级别的书，多读几本，提高生字的复现率，便于孩子强化巩固已认生字。